curiosidad por

LOS MONSTER TRUCKS

POR RACHEL GRACK

AMICUS

¿Qué te causa

curiosidad?

Curiosidad por es una publicación de Amicus
P.O. Box 227, Mankato, MN 56002
www.amicuspublishing.us

Gillia Olson y Alissa Thielges, editoras
Kathleen Petelinsek, diseñadora
Bridget Prehn, investigación fotográfica

Library of Congress Cataloging-in-Publication Data

Names: Koestler-Grack, Rachel A., 1973- author.
Title: Curiosidad por los monster trucks / by Rachel Grack.
Other titles: Curious about monster trucks. Spanish.
Description: Mankato, Minnesota : Amicus, [2023]
| Series: Curiosidad por los vehículos geniales
| Translation of: Curious about monster trucks.
| Includes bibliographical references and index.
| Audience: Ages 6–9. | Audience: Grades 2–3.
| Summary: "Appeal to budding car and truck lovers with
this Spanish question-and-answer book covering monster
truck parts, paint jobs, and history. Simple infographics
draw in browsers and visual learners. Includes table of
contents, glossary, index."– Provided by publisher.
Identifiers: LCCN 2021055477 (print) | LCCN 2021055478
(ebook) | ISBN 9781645494614 (hardcover) | ISBN
9781681528786 (paperback) | ISBN 9781645494676 (ebook)
Subjects: LCSH: Monster trucks–Juvenile literature.
| Truck racing–Juvenile literature.
Classification: LCC TL230.15 .K6418 2023 (print) | LCC
TL230.15 (ebook) | DDC 629.223/2–dc23/eng/20211228

CAPÍTULO TRES

Eventos de Monster Trucks
PÁGINA
14

¿Qué son los monster trucks?

Los monster trucks son camiones enormes con neumáticos gigantes. La mayoría tienen pinturas extravagantes. Algunos se parecen a animales o a personajes populares. Realizan **acrobacias** en los eventos. ¡Más que nada, a los fanáticos les encanta ver a los monster trucks volar por los aires!

Grave Digger realiza un salto enorme durante un evento de Monster Jam.

¿Cuál es el monster truck más popular?

Grave Digger tiene pintados fantasmas y un cementerio.

Grave Digger es uno de los favoritos del Monster Jam. Tiene una pintura escalofriante y faros delanteros rojos. Este camión lo da todo durante los eventos de **estilo libre**. Sus acrobacias locas enardecen a los fanáticos. A Grave Digger le gusta enterrar a la competencia. ¡Tiene más victorias que ningún otro!

ZOMBIE

DRAGON

EL TORO LOCO

MEGALODON

MAX-D
(MÁXIMA
DESTRUCCIÓN)

¿Qué tan grandes son los monster trucks?

Miden 12 pies (3,7 m) de alto, y lo mismo de ancho. Algunos pesan 12.000 libras (5.443 kg). Eso es igual a dos camionetas normales. ¡Todo lo que hacen es grande! Saltan encima de otros camiones. Pueden despegarse 35 pies (10,7 m) del suelo.

¿Qué tipo de neumáticos usan los monster trucks?

Los miembros de la cuadrilla revisan a Monster Mutt Dalmatian después de un evento.

Los primeros camiones usaban los neumáticos pesados de las máquinas para agricultura. Los camiones de hoy usan neumáticos fabricados especialmente. Una rueda con neumático pesa casi 645 libras (293 kg). Cada neumático mide 5,5 pies (1,7 m) de alto. ¡Más alto que tú!

¿SABÍAS?

Los neumáticos de los monster trucks pueden costar más de $2.500 dólares cada uno. Un camión puede gastar 8 neumáticos en un año.

¿Los monster trucks tienen motores grandes?

¡Por supuesto! Sus motores son dos veces más grandes que un motor normal de camioneta. Producen 1.500 **caballos de fuerza**. Estas máquinas poderosas pueden alcanzar las 100 millas por hora (161 kph). Se construyen personalizadas y cuestan $50.000.

¡El motor de un monster truck es enorme! Tiene cuatro o cinco veces más potencia que un motor de camioneta.

¿Qué son los eventos de monster trucks?

En los eventos, los monster trucks compiten. Pares de camiones corren sobre pistas de tierra. Los conductores exhiben habilidades extravagantes. Hacen acrobacias para ganar puntos. Los conductores hacen **caballitos** y **donas**. Dan volteretas y hacen saltos locos. El camión con el mayor puntaje gana el evento.

¡Dragon del Monster Jam puede lanzar fuego!

Voltereta: un giro completo de 360 grados.

Stoppie: un camión se balancea sobre sus neumáticos frontales.

Ciclón: girar sobre un punto a gran velocidad.

Caballito al cielo: un camión «se para» con sus neumáticos frontales en el aire.

El camión del Monster Jam da una voltereta sobre Son-uva Digger.

¿Qué se siente estar en la tribuna?

¡Es ruidoso y emocionante! Los monster trucks entran rugiendo al **estadio**. El ruido de los motores poderosos resuena en el aire. Muchos fanáticos usan tapones en los oídos. Vitorean y levantan carteles. Enloquecen después de alguna acrobacia audaz.

¿SABÍAS?

Ha habido un evento de Monster Jam en todos los continentes, excepto en la Antártida.

Atan a la conductora Krysten Anderson al Grave Digger.

¿Qué se siente estar al volante?

Se requieren habilidades monstruosas. Los conductores giran el interruptor de encendido y pisan el pedal de la gasolina. Cambian la dirección de los neumáticos frontales y traseros por separado. Mientras tanto, el camión rebota por doquier. Los conductores tienen poco tiempo para pensar. ¡Conducen al tanteo!

¿Qué pasa en los boxes?

Las cuadrillas de boxes arreglan los camiones. Los monster trucks reciben una paliza en cada evento. Las cuadrillas deben trabajar rápidamente. Hacen reparaciones. Cambian los neumáticos gigantes en pocos minutos. Un nuevo motor toma solo dos horas.

La cuadrilla de boxes arregla a Zombie para que este camión pueda competir en el evento siguiente.

HAZ MÁS PREGUNTAS

¿Dónde puedo encontrar un evento de monster trucks?

¿Cómo se construye un monster truck?

Haz una PREGUNTA GRANDE:

¿Cómo me puedo convertir en conductor de monster trucks cuando sea grande?

BUSCA LAS RESPUESTAS

Busca en el catálogo de la biblioteca o en Internet.
Pueden ayudarte tus padres, un bibliotecario o un maestro.

Usar palabras clave
Busca la lupa.

Q

Las palabras clave son las palabras más importantes de tu pregunta.

¿

Si quieres saber sobre:

- dónde ver monster trucks, escribe: EVENTOS DE MONSTER TRUCKS

- cómo se construye un monster truck, escribe: INGENIERÍA DE LOS MONSTER TRUCKS